马戏表演要准时

jīn tiān duō duo zài zuò huǒ jiàn dà jiā dōu jué de tā hěn lì hài zhè gè huǒ jiàn jiào duō duo huǒ jiàn yī hào sān

1. 今天多多在做火箭，大家都觉得他很厉害。这个火箭叫“多多火箭一号”，三、

èr yī shēngkōng wa tā fēi de hěn hǎo o

二、一升空。哇！它飞的很好哦！

lè dí qǐng dào kòng zhì shì bào dào nǐ yǒu bāo guǒ yào sòng dá kòng zhì shì chuán lái tōng zhī rèn wù lái le lè dí yào

2.“乐迪请到控制室报到，你有包裹要送达”控制室传来通知。任务来了，乐迪要

zǒu le sān èr yī lè dí shēngkōng

走了，三、二、一乐迪升空。

nǐ hǎo lè dí lái dào kòng zhì shì tā jīn tiān yào qù nǎ ne jīn bǎo gào sù tā yóu lì zài mò sī kē dìng gòu le yí
3.你好！乐迪来到控制室，他今天要去哪呢？金宝告诉他尤利在莫斯科订购了一
gè bāo guǒ nà lǐ shì é luó sī de shǒu dū dāng dì yǒu hěn duō míng shèng gǔ jì xiàng hóng chǎng hé kè lǐ mǔ lín gōng
个包裹，那里是俄罗斯的首都，当地有很多名胜古迹像红场和克里姆林宫……

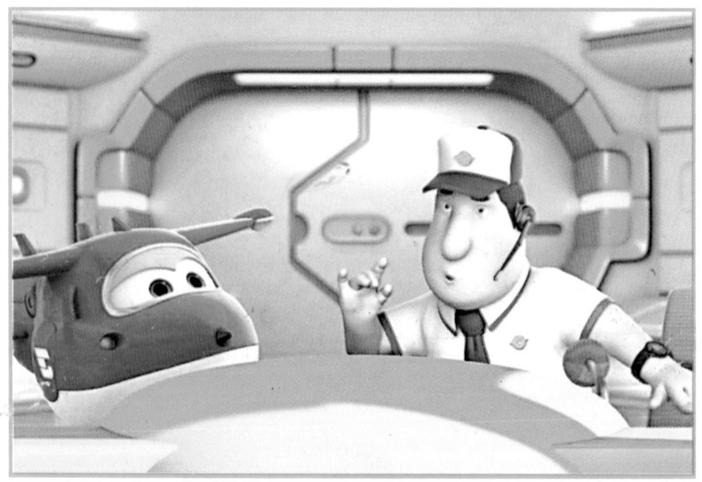

lè dí cóng lái méi yǒu jiàn guò zhè xiē dōng xi tā jué de tài kù le jīn bǎo ràng lè dí jiāng yóu lì de zhè gè bāo guǒ sòng dào
4.乐迪从来没有见过这些东西他觉得太酷了，金宝让乐迪将尤利的这个包裹送到
yí gè mǎ xì tuán zhàng péng yīn wèi yóu lì shì yí gè jiā zú mǎ xì tuán de chéng yuán fǎ lǔ dá yē mǎ xì tuán
一个马戏团帐篷，因为尤利是一个家族马戏团的成员“法鲁达耶马戏团。”

zhǔn bèi chū fā lè dí dōu zhǔn bèi hǎo dāng kōng zhōng fēi rén le bú yào wàng jì zhè jù é yǔ o tā
5.准备出发，乐迪都准备好当空中飞人了。不要忘记这句俄语喔！“Oo rah”它
de yì sī shì wàn suì hěn duō shí hou dōu huì yòng dào tā
的意思是“万岁”很多时候都会用到它。

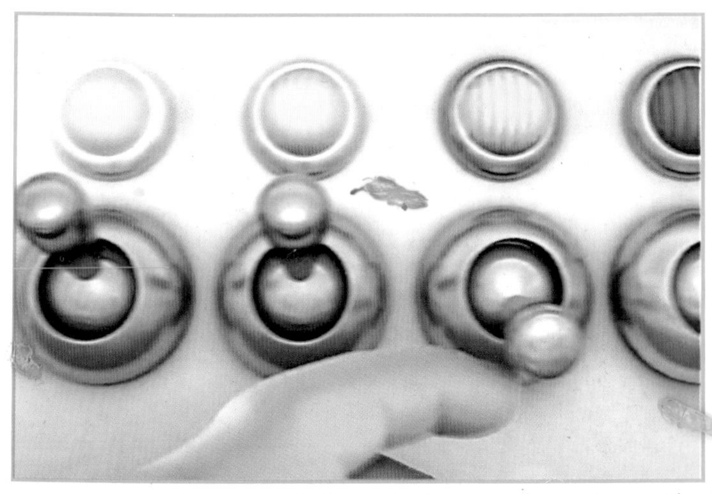

suǒ yǒu xì tǒng qǐ dòng qǐ dòng qǐ dòng hái yǒu zhè gè lè dí zhǔn bèi shēng kōng xiàn zài shì fēi xíng shí jiān fēi wǎng é
6.所有系统启动、启动、启动，还有这个，乐迪准备升空，现在是飞行时间，飞往俄
luó sī
罗斯！

cǐ shí mò sī kē de xiǎo nán hái yóu lì zhèng zài mǎ xì tuánzhàngpéng lǐ jìn xíng zá jì biǎo yǎn zuì hòu de cǎi pái yé ye
7.此时，莫斯科的小男孩尤利正在马戏团帐篷里进行杂技表演最后的彩排，爷爷
gào sù yóu lì yí qiè dōu zhǔn bèi hǎo le jiā zú chéngyuán xià wǔ yě huì dào dá
告诉尤利一切都准备好了，家族成员下午也会到达。

lè dí lái dào le é luó sī tā kàn dào le hóngchǎng kè lǐ mǔ lín gōng shèng bā xī ěr dà jiào táng o nà lǐ jiù
8.乐迪来到了俄罗斯，他看到了红场、克里姆林宫、圣巴西尔大教堂。噢！那里就
shì yóu lì de mǎ xì tuánzhàngpéng le lè dí biànshēn
是尤利的马戏团帐篷了，乐迪变身！

dīngdōng bāo guǒ kuài dì wǒ shì lè dí měi shí měi kè zhǔn shí sòng dá bāo guǒ dào le zhè shì wéi dá lā fū
9.叮咚！“包裹快递，我是乐迪，每时每刻准时送达。”包裹到了，这是维达拉夫
yé ye yóu lì jiē guò bāo guǒ gǎn jǐn dǎ kāi kàn kan wa tài bàng le shì yí liàng zhuān yòng dān lún jiǎo tà chē
爷爷，尤利接过包裹赶紧打开看看。哇！太棒了，是一辆专用单轮脚踏车。

hái yǒu dú tè de shǎn guāng chē lún yóu lì jīn tiān huì qí zhe tā zài gāng sī shàng biǎo yǎn dī dī yé ye de diàn
10.还有独特的闪光车轮，尤利今天会骑着他在钢丝上表演。嘀！嘀！爷爷的电
huà xiǎng le yuán lái shì mā ma dǎ diàn huà lái gào sù tā huǒ chē dòng bù liǎo le tā men bèi kùn zài chéng wài
话响了，原来是妈妈打电话来告诉他火车动不了了，他们被困在城外……

zāo le huǒ chē bèi jī xuě dǎng zhù le zhè kě zěn me bàn lè dí tū rán xiǎng dào tā kě yǐ fēi dào huǒ chē nà biān bāng
11.糟了！火车被积雪挡住了这可怎么办？乐迪突然想到他可以飞到火车那边帮
máng yé ye hé yóu lì jiù liú zài zhè lǐ biǎo yǎn zhào gù guān zhòng
忙。爷爷和尤利就留在这里表演照顾观众。

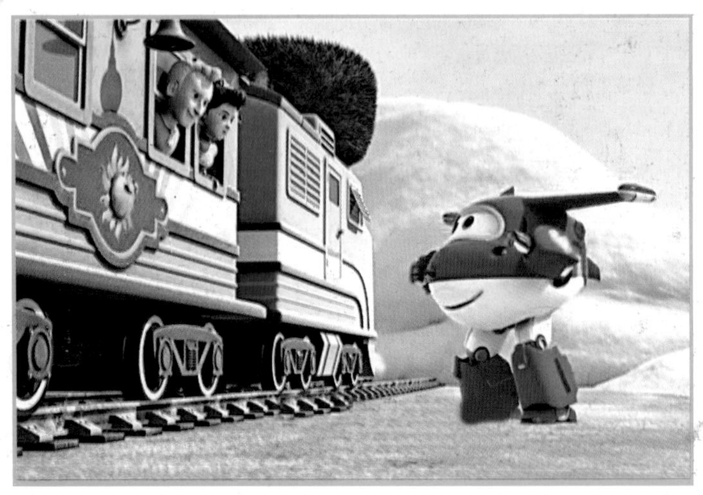

lè dí yǐ zuì kuài de sù dù fēi dào chéng wài bāng zhù dà jiā huǒ chē sà lā gǎn dào hěn nán shòu yīn wèi tā méi yǒu bàn
12.乐迪以最快的速度飞到城外帮助大家。火车萨拉感到很难受,因为他没有办
fǎ chuān guò jī xuě lè dí gào sù tā méi guān xì tā huì bāng zhù tā chuān guò jī xuě de
法穿过积雪。乐迪告诉他没关系,他会帮助他穿过积雪的。

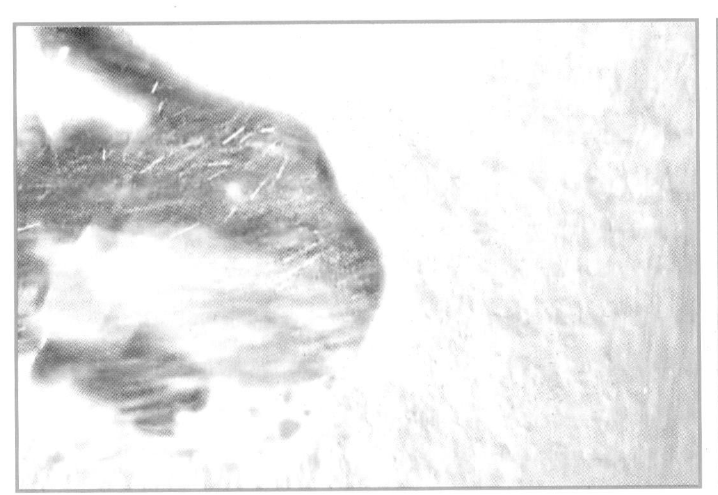

13. 超级旋转！乐迪在雪堆中快速旋转做出了一条隧道。真是太棒了，隧道打通了。

14. 火车萨拉又可以出发了，大家都很高兴。此时，观众都陆续进场了，杂技团演出要正式开始了，下面将会有无限的惊喜……

yóu lì yì biān gěi dà jiā biǎo yǎn zhe zá jì yì biān xī wàng mā ma néng kuài diǎn dào dá tū rán yí gè jí shā chē děngdeng

15. 尤利一边给大家表演着杂技一边希望妈妈能快点到达。突然，一个急刹车，等等……

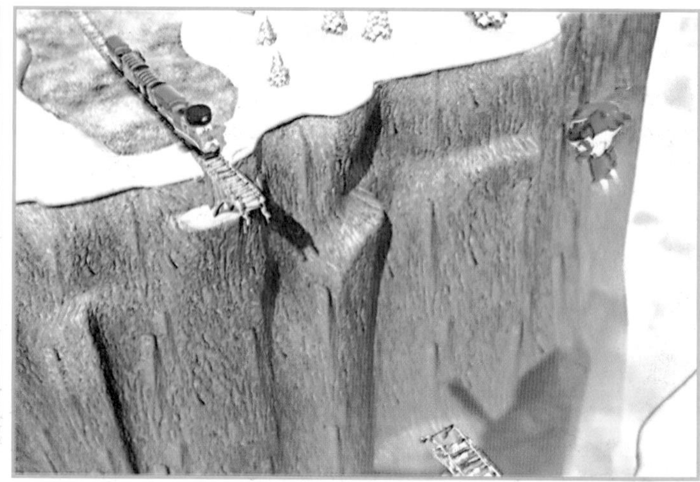

yuán lái qián miàn de tiě lù lù guǐ duàn kāi le zhè xià dà jiā dōu méi yǒu bàn fǎ tōng guò zhè lǐ lè dí xiǎng shì shí hòu ràng chāo jí fēi xiá lái bāng máng měi cì yù dào kùn nán dà jiā dōu huì lái bāng zhù tā

16. 原来，前面的铁路路轨断开了，这下大家都没有办法通过这里。乐迪想是时候让超级飞侠来帮忙，每次遇到困难大家都会来帮助他。

lè dí jiē tōngzǒng bù qǐng qiú bāng zhù lè dí bǎ qíngkuàng gào sù jīn bǎo qǐng qiú bāng zhù jīn bǎo xiǎngxiang shuí néng bāng zhù

17. 乐迪接通总部请求帮助。乐迪把情况告诉金宝请求帮助，金宝想想谁能帮助

lè dí a duō duo tā néng xiū lǐ hǎo rèn hé dōng xi

乐迪。啊！多多他能修理好任何东西。

duō duo chū fā lái dào le é luó sī a duō duo lái le wǒ men yǒu jiù le duō duo dài lái le tā de chāo kù

18. 多多出发来到了俄罗斯。啊！多多来了，我们有救了。多多带来了他的超酷

gōng jù xiāng zǔ zhuāngchéng yí gè huǒ jiàn tuī jìn qì ān zhuāng zài huǒ chē shang zhè yàng jiù kě yǐ fēi yuè lù guǐ duàn kāi de bù fèn

工具箱组装成一个火箭推进器安装在火车上这样就可以飞越路轨断开的部分。

wa duō duo nǐ zuò de zhēn hǎo dǎo shù sān èr yī huǒ jiàn shēngkōng huǒ chē zài huǒ jiàn tuī jìn qì de zuò yòng xià

19.哇！多多你做的真好！倒数三、二、一火箭升空，火车在火箭推进器的作用下

chénggōngchuān guò lù guǐ duàn kāi bù fèn

成功穿过路轨断开部分。

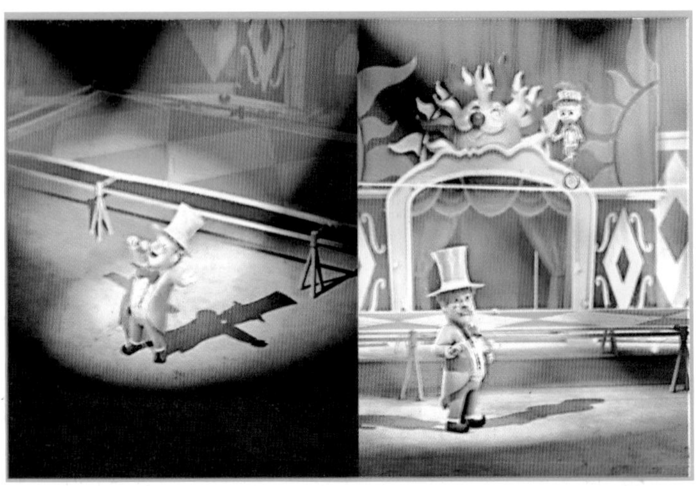

tài lì hài le lè dí hé duō duo yě gēn zhe huǒ chē yì qǐ qiánwǎng mǎ xì tuán zhè shí mǎ xì tuán biǎo yǎn yǐ jīng jìn

20.太厉害了，乐迪和多多也跟着火车一起前往马戏团。这时，马戏团表演已经进

xíng le yí bàn le méi yǒu qí tā jiā tíng chéngyuán yóu lì wú fǎ wánchéng zǒu gāng sī biǎo yǎn kě shì guānzhòng yǐ jīng děng bù jí le

行了一半了，没有其它家庭成员尤利无法完成走钢丝表演。可是观众已经等不及了。

huǒ chē zhōng yú jiāng dà jiā ān quán sòng dào le mǎ xì tuán jiā tíng chéng yuán gǎn jǐn pǎo jìn qù yé ye gào sù dà jiā jiē
21.火车终于将大家安全送到了，马戏团家庭成员赶紧跑进去。爷爷告诉大家接
xià lái yíng jiē chuán shuō zhōng de fǎ lǔ dá yē mǎ xì tuán
下来迎接传说中的“法鲁达耶马戏团”。

xiàn zài shì mǎ xì tuán de yā zhóu biǎo yǎn dà jiā zài wǔ tái shàng yí gè fān shēn yí gè tiào yuè biǎo yǎn pèi hé de wán
22.现在是马戏团的压轴表演，大家在舞台上一个翻身、一个跳跃表演配合的完
měi jí le
美极了。

hái yǒu yóu lì de dān lún chē zǒu gāng sī zuì hòu lè dí hé duō duo yě jiā rù le mǎ xì tuán gěi dà jiā dài lái le
23.还有尤利的单轮车走钢丝。最后，乐迪和多多也加入了马戏团给大家带来了
jīng cǎi de yǎn chū
精彩的演出。

yǎn chū jié shù le yóu lì hé yé ye fēi cháng gǎn xiè lè dí hé duō duo de bāng zhù bù rán mǎ xì tuán bù kě néng wán
24.演出结束了，尤利和爷爷非常感谢乐迪和多多的帮助，不然马戏团不可能完
chéng biǎo yǎn yé ye jué de tā men dōu shì chū sè de kè xí biǎo yǎn zhě
成表演，爷爷觉得他们都是出色的客席表演者。

hei dà péng nǐ zěn me hái bù qǐ fēi ne dà péng gào sù lè dí yīn wèi yù dào le diǎn xiǎo wèn tí yǒu yí dà qún

1.嘿！大鹏，你怎么还不起飞呢？大鹏告诉乐迪因为遇到了点小问题，有一大群

de xiǎo niǎo dòu liú zài pǎo dào shang lè dí xiǎng bāng dà péng jiě jué wèn tí kě shì pǎo lái pǎo qù zhè xiē xiǎo niǎo dōu bú yuàn lí kāi

的小鸟逗留在跑道上。乐迪想帮大鹏解决问题，可是跑来跑去这些小鸟都不愿离开。

kǎ wén gào sù lè dí zhè xiē xiǎo niǎo yǐ wéi nǐ zài gēn tā men wán yóu xì suǒ yǐ tā men yì zhí bú yuàn yì lí kāi zhè

2.卡文告诉乐迪这些小鸟以为你在跟他们玩游戏，所以他们一直不愿意离开。这

yàng wǒ lái péi tā men wán ba kuài lái zhuā wǒ ba

样，我来陪他们玩吧！快来抓我吧！

guǒ rán xiǎo niǎo dōu fēi xiàng kōng zhōng lí kāi le pǎo dào zhè shí kòng zhì shì chuán lái tōng zhī lè dí yào zǒu le zài jiàn
3.果然，小鸟都飞向空中离开了跑道。这时控制室传来通知，乐迪要走了，再见
le dà péng lè dí lái dào kòng zhì shì jiàn dào jīn bǎo zhè yí cì tā yào qù sòng shuí de bāo guǒ ne
了大鹏！乐迪来到控制室见到金宝，这一次他要去送谁的包裹呢？

jīn bǎo gào sù tā yào gěi gāng guǒ de lù lu sòng yí gè bāo guǒ tā zài fēi zhōu nà lǐ yǒu hěn duō rè dài yǔ lín lǐ
4.金宝告诉他要给刚果的露露送一个包裹，它在非洲。那里有很多热带雨林，里
miàn zhù zhe shān dì dà xīng xing shuō bú dìng lè dí yě huì yù dào yì zhī
面住着山地大猩猩。说不定乐迪也会遇到一只。

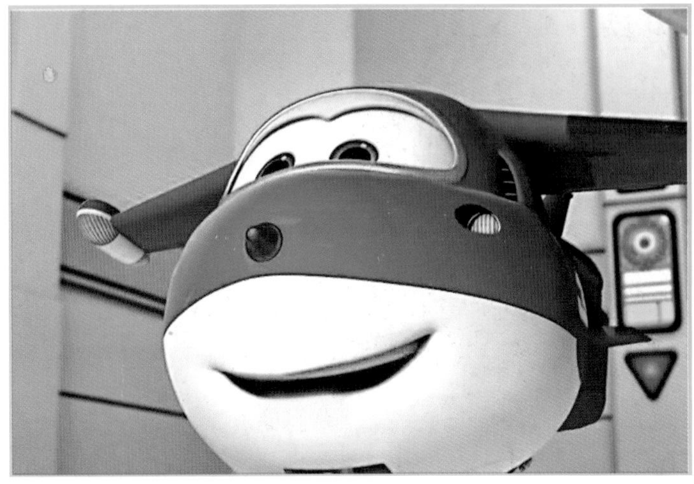

yí qiè dōu zhǔn bèi hǎo le lè dí zhǔn bèi chū fā le rú guǒ nǐ yù dào dāng dì rén kě yǐ shuō yì sī shì

5.一切都准备好了，乐迪准备出发了。如果你遇到当地人可以说“Mbote”意思是

nǐ hǎo lè dí míng bái le

“你好”，乐迪明白了。

xiàn zài shì fēi xíng shí jiān xiàng gāng guǒ chū fā cǐ shí lù lu hé jī néng lì zhèng zài jiā lǐ yòng guō jù dāng gǔ dǎ

6.现在是飞行时间，向刚果出发！此时，露露和积能利正在家里用锅具当鼓打，

yào shì zhēn zhèng de gǔ tā men huì dǎ de gèng hǎo lù lu yǐ jīng zhǔn bèi hǎo le zhǐ děng zhe bāo guǒ sòng lái le

要是真正的鼓他们会打的更好，露露已经准备好了，只等着包裹送来了。

lè dí lái dào le gāng guǒ tā kàn dào le gāng guǒ hé hái yǒu rè dài yǔ lín a nà jiù shì lù lu de jiā le lè
7.乐迪来到了刚果，他看到了刚果河还有热带雨林。啊！那就是露露的家了，乐
dí biàn shēn lái dào lù lu jiā dīng dōng bāo guǒ kuài dì wǒ shì lè dí měi shí měi kè zhǔn shí sòng dá
迪变身来到露露家。叮咚！“包裹快递，我是乐迪，每时每刻准时送达。”

lù lu jiē guò bāo guǒ děng bù jí yào dǎ kāi kàn kan le wa yuán lái shì sān gè kāng jiā wǔ gǔ nǐ yí
8.Mbote！露露接过包裹等不及要打开看看了。哇！原来是三个康加舞鼓，你一
gè wǒ yí gè hái yǒu yí gè zěn me bàn
个我一个，还有一个怎么办？

bú guò lù lu gào sù lè dí tā men hái xū yào yí gè hěn bàng de gǔ shǒu gēn tā men yì qǐ zài cūn zhuāng jié zhōng biǎo yǎn

9.不过，露露告诉乐迪他们还需要一个很棒的鼓手跟他们一起在村庄节中表演。

lè dí jué de tā kě yǐ shì shì kàn jī néng lì yě jué de tā de gè zi zuì hé shì dǎ zhè gè dà gǔ le

乐迪觉得他可以试试看，积能利也觉得他的个子最合适打这个大鼓了。

lù lu dài zhe dà jiā lái dào sēn lín lǐ yì qǐ liàn xí jié pāi bēng bēngbēng zhè shí zài tā men shēn hòu yǒu yì zhī

10.露露带着大家来到森林里一起练习节拍，嘣！嘣嘣！这时，在他们身后有一只

dà xīng xing cóng shù cóng zhōng tàn chū yí gè tóu lái yuán lái dà xīng xing shì bèi gǔ shēng xī yǐn guò lái de

大猩猩从树丛中探出一个头来。原来，大猩猩是被鼓声吸引过来的。

gū gū lù lu tū rán jué de dù zi è le jī néng lì gào sù lù lu xiān xiū xī yí xià tā zhī dào fù jìn yǒu kē mù guā shù kě yǐ qù chī xiē shuǐ guǒ zhè shí dà xīng xing tiào xià shù lái bēngbēng pāi qǐ gǔ lái

11. 咕！咕！露露突然觉得肚子饿了，积能利告诉露露先休息一下，他知道附近有棵木瓜树可以去吃些水果。这时，大猩猩跳下树来“嘣嘣”拍起鼓来。

mù guā zhēn hǎo chī yí tā men tīng dào le gǔ shēng dào dǐ shì shuí zài dǎ gǔ bú guò zhēn de dǎ de hěn bàng dà jiā jué dìng qù kàn kan dà xīng xing yuè dǎ yuè gāo xìng

12. 木瓜真好吃！咦！他们听到了鼓声，到底是谁在打鼓？不过，真的打的很棒，大家决定去看看。大猩猩越打越高兴。

tā men duǒ zài cǎo cóng hòu miàn yí kàn yuán lái shì zhī dà xīng xing lù lu jué de tā dǎ de tài bàng le bù yóu de dà

13. 他们躲在草丛后面一看原来是只大猩猩，露露觉得它打的太棒了。不由的大

shēng jiào qǐ lái dà xīng xing fā xiàn lù lu hòu hài pà de zhí wǎng hòu tuì bié zǒu wǒ xī wàng nǐ jiā rù wǒ men de yuè duì

声叫起来。大猩猩发现露露后害怕的直往后退。“别走！我希望你加入我们的乐队。”

dà xīng xing tóu yě bù huí de jiù pǎo le lè dí qǐ shēn qù zhuī tā kě shì dà xīng xing lián pǎo dài pá de pá shang le

14. 大猩猩头也不回的就跑了，乐迪起身去追他，可是大猩猩连跑带爬的爬上了

shù lè dí yě jǐn zhuī bù shě a lè dí hǎo xiàng bèi shén me dōng xi guà zhù le

树，乐迪也紧追不舍。啊！乐迪好像被什么东西挂住了。

lù lu hé jī néng lì dào chù zhǎo lè dí yì tái tóu fā xiàn lè dí bèi téng tiáo qiǎ zài shàngmiàn le zěn me bàn cái néng

15.露露和积能利到处找乐迪，一抬头发现乐迪被藤条卡在上面了。怎么办才能

jiù lè dí xià lái lè dí xiǎng shì shí hou ràngchāo jí fēi xiá lái bāngmáng měi cì yù dào kùn nán dà jiā dōu huì lái bāng zhù tā

救乐迪下来。乐迪想是时候让超级飞侠来帮忙，每次遇到困难大家都会来帮助他。

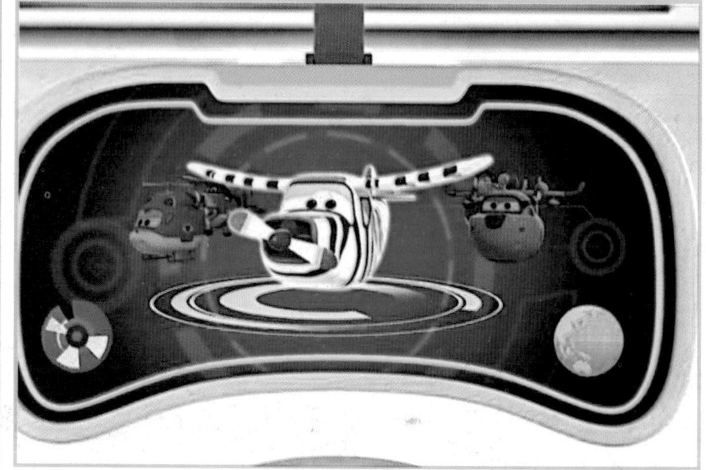

lè dí jiē tōngzǒng bù qǐng qiú bāng zhù jīn bǎo xiǎngxiǎng shuí néngbāng zhù lè dí yǒu le nà jiù shì kǎ wén tā shàn

16.乐迪接通总部请求帮助。金宝想想谁能帮助乐迪。有了，那就是卡文，他擅

chángyìng fù dòng wù yě shú xī sēn lín kǎ wén shōu dào zhǔn bèi chū fā

长应付动物，也熟悉森林。卡文收到，准备出发。

a kǎ wén lái le zhè yàng lè dí jiù yǒu jiù le kǎ wén biàn shēn lù lu hé jī néng lì hěn gāo
17. 啊！卡文来了，这样乐迪就有救了。卡文变身！“Mbote”露露和积能利很高
xìng jiàn dào kǎ wén
兴见到卡文。

kǎ wén zhī dào yòng shén me bàn fǎ kě yǐ jiù chū lè dí le kě yǐ yòng tā de luó xuán jiǎng bǎ téng màn qiē duàn kǎ wén
18. 卡文知道用什么办法可以救出乐迪了，可以用他的螺旋桨把藤蔓切断。“卡文
chāo jí xuán zhuǎn lè dí bèi jiù xià lái le kě shì dà xīng xing bù zhī dào pǎo nǎ lǐ qù le
超级旋转”乐迪被救下来了。可是，大猩猩不知道跑哪里去了。

huō zhè shì shén me shēng yīn kǎ wén shuō zhè shì yì zhī dà xīng xing zài pāi dǎ xiōng kǒu ne zhè yí dìng shì tā men yào zhǎo de
19.“嚯”这是什么声音，卡文说这是一只大猩猩在拍打胸口呢！这一定是他们要找的

dà xīng xing dàn shì tā duǒ qǐ lái le zěn yàng cái néng yǐn tā chū lái kǎ wén rèn wéi kě yǐ hé xīng xing wán gè shēng yīn de yóu xì
大猩猩，但是他躲起来了怎样才能引它出来。卡文认为可以和猩猩玩个声音的游戏。

měi dāng tā fā chū yí xià shēng yīn jiù gēn zhe mó fǎng tā lái shì shi ba dāng xīng xing pāi jǐ xià xiōng kǒu tā men jiù
20.每当它发出一下声音，就跟着模仿它，来试试吧！当猩猩拍几下胸口，他们就

yòng gǔ huí yìng jǐ xià
用鼓回应几下。

dà jiā de huí yìng néng lì yuè lái yuè qiáng le guǒ rán xīng xing bèi shēng yīn màn màn de xī yǐn guò lái le wa dà
21.大家的回应能力越来越强了。果然，猩猩被声音慢慢的吸引过来了。哇！大
xīng xing huí lái le
猩猩回来了。

qǐng jiā rù wǒ men dǎ nà gè dà gǔ ba dà xīng xing zhōng yú bú hài pà tā men le lòu chū le yǒu hǎo
22.“请加入我们打那个大鼓吧！”大猩猩终于不害怕他们了，露出了友好
de xiào róng
的笑容。

wa yǒu le dà xīng xing de jiā rù shí zài shì tài bàng le cūn zhuāng jié biǎo yǎn kāi shǐ le dà jiā tīng zhe dà xīng xing yuè duì de yǎn zòu huān kuài de tiào zhe wǔ

23. 哇！有了大猩猩的加入，实在是太棒了。村庄节表演开始了，大家听着大猩猩乐队的演奏欢快的跳着舞。

cūn mín men dōu hěn xǐ huan tā men de yǎn zòu tā men zài bù tóng yì yì shang shòu dào le huān yíng dà jiā wán de dōu hěn gāo xìng rèn wù wán chéng le lè dí hé kǎ wén yào huí qù le zài jiàn le lù lu

24. 村民们都很喜欢他们的演奏，他们在不同意义上受到了欢迎，大家玩的都很高兴。任务完成了，乐迪和卡文要回去了。再见了，露露！